108 (부유)

1. 그 여자가 좋아하는 숫자는 무슨 기도와 관련이 있다는 108.

3. 그것의 빗장들에 느긋하게 기대기.

5. 끌려?

6. 난 늘 끌려.

7. 그것은 내가 이야기(무슨 이야기) 속에서 그 여자에게 준 이름이었다.

10. 너무 일찍 일어남 목에 근육 경련 미국 돈 몇 푼 벌러 나감.

11. 유령 같은 모자를 쓴 이 금발의 히치하이커 나부랭이 주움.

12. 그 여자의 s를 아주 잘 발음하지는 않았음 그 여자의 t를 아주 잘
    발음하지는 않았음.

13. 내가 아는 그 어떤 사람보다 좆을 많이 씀 좆같은 좆만 한 좆도 아닌
    좆같은 살아 있음에 대한 공포.

15. 물론 나도 마리화나 피우는 거 좋아해.

16. 내게는 둘 중 누구라도 나이아가라폭포에 가면 전화하기로 한 친구가
    있다.

17. 친구가 마을 외곽에 있는 어느 모텔에 사는 것으로 밝혀지다.

18. 그의 방에는 근력 운동 기구와 스틱형 데오도란트와 TV가 있다.

19. 그의 방에 있는 것은 그게 다다.

20. TV 밑에 옷더미가 있다.

21. 그 온갖 사소한 몸짓과 소음은 잠잠한 장소들을 욕망하지 않는다. 무슨
    이야기.

22. 남자들은 액션을 좋아하고 당신은 그 이론을 안다.

26. 추락하기는 액션일 것이다.

27. 추락하기를 고대하기는 감정이다. 당신은 그 차이를 안다.

28. 키가 얼마요? 경찰이 유치장으로 데려가면서 물었다.

29. 나는 198 그가 덧붙였다.

30. 대화란 액션 와중에 발생하는지도 모른다.

31. 그건 감정을 포함하거나 제외할 수 있다.

32. 대화 속에 두 선택지가 얽혀 들어 있는 경우가 잦다.

33. 갑자기 어떤 구절이—

34. 당신을 위해서라면 무슨 일이라도—

35. (아마도 농담이) 슬쩍 끼어든다.

37. 내가 유치장에 갔을 때 그들은.

38. 나는 바닥에 누웠다.

39. 왜 바닥에 누워 있어요? 두 번째 경찰이 들어오면서 물었다.

40. 그 질문에는 적절한 답이 없는 듯했다.

41. 대신에 나는 경찰에게 물었다 그건 제 거예요?

42. 수갑을 가리키면서.

43. 그래요 이리로 오시겠어요.

44. 이 벤치에 무릎 꿇고 앉아요.

45. 그러니까 당신은 소매치기? 경찰이 물었다.

46. 때로 대화는 그냥 틀어진다.

47. 나는 두 손으로 머리를 감싸 쥔다.

48. 언젠가 당신이 차고 바닥에다 물방울로 어떤 단어를 쓴 적이 있다.

49. 나는 그것이 마르는 것을 녹화했다.

50. 내가 여기서 이 얘기를 하는 것은 일종의 우화적 몸짓이다.

51. 아니 나는 그 단어가 무엇이었는지 생각나지 않는다.

52. 죄송하지만 두 발을 모아주시겠습니까.

53. 반창고는 어때.

54. 대시보드에 붙은 저 반창고들은 다 뭐야.

55. 그리고.

56. 어린이용 반창고는 무엇에 써.

57. 무엇에 써.

58. 당신은 뭐야.

59. 무슨 이야기.

60. 왜 그 국경에서 노는가.

62. 그냥 거기 앉아서 손을 꼼지락거리지 않으려고 애쓰기.

63. 도시의 나쁜 부분은 작은 울룩불룩한 언덕들 저 빨간 차는 며칠째 나를 따라다니고 빌어먹을 나는 여기서 무얼 하고 있지.

64. 우리는 벨의 집에 가볼 수 있다.

65. 벨의 집에 가보자.

66. 입술을 살짝 치켜올리고 웃으며 딴 데 보기.

67. 그들은 내 아기가 덜됐다고 했지.

68. 그 여자는 내 연필로 코카인 파이프를 청소하고는 둘 다 자기 가방에 넣었다.

69. 그래서 우리는 같이 차를 타고 가고 있고 그거 알아 나는 하워드 휴스¹의 딸이야 나는 아버지가 어디에 있는지 알고 아버지도 내가 어디에 있는지 알지만 아버지는 내게 아무것도 보내주지 않지 그 여자가 말한다.

70. 좋아 자기 그냥 조용히 해 연필이 필요하면 조수석 수납함을 봐.

71. 좆같이 커다란 검은 유령 모자와 하얀 곰 인형 긴 흉터가 난 예쁜 여자의 두 다리 나는 그 여자에게 가려고 차선 세 개를 가로질렀다.

72. 그 행운은 당신이 가져 여자가 문을 탕 닫았고 역시 생각한 대로다.

73. 그래서 그 경찰이 차로 돌아가 뭔가를 주섬주섬 챙기더니 코티지치즈가 잔뜩 든 빌어먹을 비닐봉지를 들고 나온다 코티지치즈 경찰이 치즈를 사람들에게 건네기 시작한다.

75. 저 부품 가게 뒤에 세워 여자가 말한다.

76. 이런 걸 신고 돌아다녔으니 하나 먹고 싶을 거야 이건 코티지치즈야.

77. 상황이 더 나빠질 순 없었고 상황은 더 나빠졌다.

78. '운'을 이르는 별난 단어.

80. '여전히 정리되지 않은 것'을 이르는 단어.

89. 나는 너에게 무언가를 약속했다고 생각한다.

90. 일곱 번 접힌 대양들.

108. 너무나 간단한, 얼마나 아득한.

(이야기를 들려주는 방법에는 여러 가지가 있다. 한 남자가 국경에서
어떤 일을 겪었는지 얘기했다. 나는 몇 가지 요점을 적었다. 메모와 메모 사이에
무슨 일이 있었는지 채우려 할 때마다 나는 이야기를 잃어버렸다. 나는 그를
진정으로 알지 못했다. 마치 겨울 하늘처럼 높고 엷고 불안정하고 뭔가 미진한
느낌이었다. 그때 나는 '부유(flotage)'라는 단어를 생각하기 시작했다.)

¹ 하워드 휴스(Howard Hughes, 1905~1976)는 미국의 거물 실업가이자 투자자, 비행기 조종사, 기술가, 영화감독, 자선가다.